Aux armes, citoyens !

Robert Redeker

Illustration : Annie Maurer

Préface de Christian Rome

Directeurs de collection :
Valère Staraselski et Didier Daeninckx

Editions BÉRÉNICE
11, rue de la Glacière - 75013 Paris
Tél. / Fax : 01 47 07 28 27
ISBN 2-911232-22-4

Préface

Le mouvement social de la fin 1995, celui des chômeurs et des sans-papiers, la révolte contre l'OMC à Seattle en 1999, ont jeté de gros pavés dans la mare tranquille de la pensée unique néo-libérale, remuant le bourbier nauséabond de ce qui, derrière un euphémisme cynique, désigne en réalité une idéologie barbare, broyeuse de vies ; une machine égoïste et démagogique à fabriquer des exclus : le capitalisme.
Dans la société civile, certains hommes n'auraient donc pas totalement sacrifié sur l'autel de la consommation béate, des stocks-options, et des quintes de toux irresponsables des places boursières, «l'animal politique» qui est en eux.
Partant du postulat d'Aristote, le philosophe Robert Redeker nous rappelle le sens de ces mots simples, la politique, la culture. Avec lui, nous constatons que la politique - c'est-à-dire la possibilité pour l'homme de devenir autre, de sortir de sa condition, de conquérir sa liberté - anesthésiée par la drogue douce et euphorisante des deux dernières décennies, s'est retirée, inexorablement, de la culture.
«Orpheline de la politique», la culture s'est donc retrouvée seule, institutionnalisée, organisée, subventionnée, surmédiatisée, remplacée par des grandes messes festives, réduite dans les bazars des supermarchés, à une marchandise sans goût et sans saveur faite pour endormir et prévenir toute tentative de révolte, un objet de consommation rassurant, invitant à la passivité les inclus provisoires. Cette

situation la privant de sa nécessité d'être : un ferment de conflit, une contestation, une parole contre.

Si un des rôles de la culture, à travers le patrimoine littéraire et artistique, est de transmettre la mémoire - et par ces temps de bise fasciste qui refroidissent la planète (l'Europe, en particulier), ce devoir de mémore est devenu sacré - elle se doit aussi d'être vivante, contemporaine, active, de jouer son rôle de contestation, de révolution, ici et maintenant. Elle est l'arme irremplaçable pour donner à l'homme le moyen de penser par lui-même et de, non plus subir, mais choisir, en toute conscience, son destin.

Or, cette nécessité, cette fonction fondamentale de la culture, ne semble plus perçue, dans son urgence, que par deux catégories sociales : les créateurs (les vrais) et les exclus.

Pour les artistes et les écrivains authentiques, elle est la respiration, l'oxygène de leur vie et de leur création. Pour les exclus - ceux par exemple à qui on n'a pas donné les mots, le langage - elle est le seul moyen de se réapproprier la pensée, et donc, du même coup, la capacité d'analyser la situation, la possibilité de dire non, de refuser la fatalité que le ron-ron mondialo-capitaliste tente de perfuser dans les veines des citoyens du monde.

Par un étrange mouvement de l'histoire, ces deux catégories, les créateurs et les exclus, se retrouvent donc, côte à côte, sommés de se donner la main.

Ici apparaît la responsabilité de ceux qui prétendent posséder le savoir, peintres, écrivains, scientifiques, philosophes, cinéastes, hommes de théâtre, envers ceux que la société a rejetés sur le bas-côté de la route, et qui, écartés du privilège de la connaissance, ont perdu la possibilité de créer leur propre vie.

Le temps est venu de repolitiser le culturel, d'injecter dans la création la semence du refus et de la lutte. Le temps est venu de redonner à la culture, qui est un droit de l'homme, sa dignité. Le temps est venu de descendre dans la rue, avec dans la poche ce petit livre de Robert Redeker - mais les petits livres contiennent parfois de grands textes - pour que la culture redevienne ce qu'elle n'aurait jamais dû cesser d'être : une «puissance d'émancipation», «d'accomplissement» et de «transformation». Pour une autre parole, un autre avenir, une autre vie. Robert Redeker nous montre le chemin...
Aux Armes, citoyens !

Christian Rome

A Véronique
A Claude Lanzmann
A Jean Pons

Qu'est- ce que l'homme ? On ne peut traiter la question de la culture qu'en l'articulant avec celle de l'anthropologie philosophique. L'anthropologie scientifique (constituant le corps théorique des sciences humaines) s'organise autour de la question « *comment est l'homme ?* ». L'anthropologie philosophique prend en charge la question plus fondamentale « *qu'est-ce que l'homme ?* ». Rien n'est plus méconnu aujourd'hui que la définition philosophique de l'homme par sa capacité politique - si bien qu'on est revenu au point d'où Rousseau était parti dès la première phrase de la préface du *Discours sur l'origine et les fondements de l'inégalité parmi les hommes* : « *La plus utile et la moins avancée de toutes les connaissances me paraît être celle de l'homme...* ». Comme si avait été annulée toute la période qui s'est déroulée entre les Lumières et nous, à laquelle on peut donner le nom de *Temps des révolutions*.

L'homme est l'animal politique ; cet énoncé d'Aristote doit demeurer au centre de nos réflexions[1]. Cette spécification, « *animal politique* », recouvre ce que l'on peut proposer d'appeler la *politicité* de l'homme. Loin de se ramener à une essence statique (depuis Marx,

Nietzsche et Heidegger le concept métaphysique d'essence est définitivement ruiné), cette possibilité désigne une puissance, une potentialité, un devenir. L'homme n'est pas un animal politique de fait (dans la plupart des sociétés il ne l'est pas), il l'est de droit, autrement dit, il porte en lui la possibilité de le devenir. L'actualisation de cette possibilité, le devenir politique de chaque homme s'appelle l'émancipation. L'homme est l'animal politique signifie : *l'homme doit devenir l'animal politique*. La culture trouve sa place au cœur du processus d'émancipation qui permet à l'homme de s'actualiser comme « *animal politique* ». L'énoncé « *animal politique* » répond moins à la question « *qu'est-ce que l'homme ?* » qu'à la question « *que peut devenir l'homme ?* ». Ou plutôt : le sens profond de la question « *qu'est-ce que l'homme ?* » prend la tournure d'une autre question « *que peut devenir l'homme ?* ». Ce que l'homme devient, c'est la culture qui le fait. La culture est cet ensemble d'activités qui doit permettre l'accomplissement de ce qu'il y a de plus humain dans l'homme, et de plus difficile à faire naître, la politique - elle est donc (ou doit être) émancipatrice. Le lien de la culture à la politique est analogue à ce qu'est la maïeutique - cet art de sage femme devenu dans la philosophie un art d'aider à l'enfantement des esprits- chez Socrate : permettre un accouchement. La culture doit permettre l'accouchement de la politicité chez chaque homme. La culture met au monde (doit mettre au monde) l'homme comme « *animal politique* ». On ne comprend rien à la question de la culture si on ne la connecte pas avec la conception de l'animal politique, de même qu'on ne comprend rien au devenir contemporain de la culture (son passage depuis une vingtaine d'années dans l'ordre des « *événements* » plus ou moins spectaculaires, autrement dit son *rapt* par la communication) si on évite de le lier à l'occultation parallèle du politique. Ce n'est pas seulement, ainsi que Guy Debord l'avait observé, la politique qui s'est vidée de sa substance en devenant spectacle[2], c'est également la culture ; mais ce que Guy Debord ne pouvait pas remarquer, c'est que changées en spectacle toutes les deux, la politique et la culture allaient se laisser ravir par leur vampire commun, la communication.

Aujourd'hui la culture est en crise, comme le sont la politique et le concept d'homme ; d'une certaine façon il existe le danger que la culture poursuive sa route en laissant derrière elle, abandonnées, l'homme et la politique.

La culture est un fait de toutes les sociétés humaines ; aussi bien la culture comme art de vivre que la culture comme gratuité, élévation gratuite de l'esprit. Par contre la politique, au sens d'activité collective délibérée et consciente en vue de la transformation de la société, autrement dit au sens de démocratie, n'est apparue que très rarement, et par intermittences : la cité grecque, le mouvement communal au Moyen Age, les sections à certaines périodes de la Révolution française, la Commune de Paris, la guerre d'Espagne, certains moments lumineux du mouvement révolutionnaire au XXème siècle peuvent en figurer quelques exemples[3].

Qu'entendre par « *culture* » ? Ce vocable n'est-il pas de nos jours utilisé dans un sens beaucoup trop large ? N'a-t-on pas tort de considérer que « *tout est culturel* » ? Ne traversons-nous pas une phase du devenir culturel de tout qui fait disparaître la culture elle-même ainsi que la possibilité d'émancipation qu'elle recèle ? Il existe d'abord le sens sociologique du mot : mode de vie, traditions, ensemble de comportements et de significations symboliques collectives, habitudes partagées par la communauté, etc. qui permettent de vivre ensemble. C'est la *culture* au sens de *civilisation,* exaltée par les sciences humaines, dont la signification est statique. Rien n'autorise, comme c'est hélas trop souvent le cas aujourd'hui, à sacraliser par principe ce qui relève de ce sens là de la culture, le mode de vie, la tradition. Nombre de traditions sont des monuments de barbarie. Tradition ne fait pas droit. Si cette culture traditionnelle peut aider à retrouver ce que nous fûmes, ou à nous faire jouir de ce que nous sommes, ou encore à justifier ce que nous faisons, elle n'est cependant pas ouverte sur l'avenir. Satisfaites de ce qu'est l'homme, attachées à le conserver dans son état, tradition et culture traditionnelles ne peuvent ni ne veulent le transformer.

La tradition, *l'éternel hier* de la vallée des larmes que constitue l'histoire de l'humanité, voilà bien le terroir auquel il faut s'arracher ! Nous débouchons là sur l'autre sens du mot *culture,* sa signification dynamique. La culture est cet ensemble d'idées, d'oeuvres et de pratiques qui nous aide à nous arracher aux traditions, aux déterminismes des groupes auxquels nous appartenons, aux habitudes, qui nous ouvre un devenir encore inconnu, bref elle est ce qui nous transforme et nous désenferme. La culture est ce qui aide chacun d'entre nous à devenir un autre. Chacun peut dire : *je ne suis plus le même homme (ou la même femme) depuis que j'ai compris Hamlet, depuis que j'ai lu Proust, depuis que j'ai vu Shoah !* Les grandes œuvres de la culture méritent cette qualification valorisante précisément parce qu'elles ont été crées non dans le cocon moelleux de la tradition et des habitudes, mais sur le seuil de l'avenir, au risque de ce qui arrive, là où souffle le vent nouveau du *non-encore connu*, du *non-encore advenu*. La modernité technique (le travail, la télévision, les loisirs, la mondialisation) est aussi une puissance d'arrachement, mais en même temps elle est une puissance d'aliénation. Dans leur travail et dans leurs loisirs, les hommes contemporains sont à la fois arrachés à leurs identités culturelles héritées et aliénés aux diverses formes de colonisation de l'existence fabriquées par le capitalisme[4]. Ainsi, tandis que toute vraie culture arrache et libère, les dispositifs sociaux-techniques de la modernité capitaliste (le substitut capitaliste de la culture produit par les industries du loisir standardisé) arrachent et aliènent ; cet arrachement/aliénation verse les hommes non pas dans la vie politique (comme la vraie culture aspire à le faire) mais dans le no man's land sans âme de la consommation infinitisée (dans laquelle il faut compter la consommation mécanisée de loisirs).

La culture est orpheline aujourd'hui de la politique, des combats politiques. Elle est orpheline de l'idée de Révolution, des grands soirs et des lendemains qui chantent. Elle est orpheline du « *Temps des cerises* » et de celui des barricades. La crise contemporaine de la culture se manifeste par la rupture de son lien avec la transformation politique de l'homme. Avec la transformation politique de la société (des conditions générales de l'existence humaine). D'un côté la culture est devenue très commerciale, de l'autre elle est devenue très populiste. Dans le grand écart entre la culture commerciale et la culture populiste, la politique s'est effondrée. Dans sa plus grande partie - et surtout dans tous ses secteurs destinés au plus grand nombre- la culture contemporaine est dépolitisée. Pour la première fois sans doute dans l'histoire, la culture est devenue désémancipatrice. La voici désormais déconnectée du « principe espérance » tel que le philosophe Ernst Bloch[5] l'a thématisé avec tant de force, ayant déserté tout « esprit de l'utopie ». A bien des égards elle est même devenue contre-utopique, école de la renonciation. D'une certaine façon, le mot « *culture* » veut pourtant dire « *franchir* » : elle devrait permettre à chaque homme le franchissement, aller au-delà, lui permettre l'affranchissement, lui donner les forces pour s'émanciper, autrement elle n'est rien du tout. Elle devrait permettre à des peuples entiers ce même franchissement. La culture devrait être un pont entre l'homme et ce qu'il peut devenir : entre l'homme aliéné, humilié, réduit à la production et consommation interminables, l'ombre d'homme, et l'homme libéré, émancipé, participant effectivement et lucidement à toutes les décisions qui se prennent dans la cité, le citoyen, « *l'animal politique* ».

Derrière la question de la culture se profile celle des types anthropologiques. Des conceptions différentes de la culture supposent des conceptions différentes de l'homme. Cela ne renvoie pas simplement à cette capacité inhérente à la culture de fournir des armes intellectuelles et affectives pour endurer la lutte (tantôt sourde tantôt manifeste) contre le capitalisme. Nul ne peut se battre en restant le même. Cela signifie, plus profondément, que la culture est apte à modifier l'homme pour le rendre plus politique. Vraie pour les inclus du système, cette idée de transformation anthropologique l'est encore plus quand on aborde le problème (réapparu de façon massive dans la société française à partir de 1983) de l'exclusion. Ce que peut la culture pour les exclus : les hisser à l'humanité, à la politicité, surmonter tout à la fois leur déchéance propre et le sommeil intellectuel et politique des inclus chez qui la politicité, cette part essentielle de l'humanité, dort. La politique en chacun de nous - cette *Belle au bois dormant* que seule la culture pourra réveiller !

Ainsi la période récente a-t-elle été marquée par une transformation du contenu de sens du mot « *culture* », par une mutation importante dans les significations que la société place derrière ce mot. L'histoire de la culture - devenue sous la tutelle de la communication, ainsi que Michel Deguy nous le signale « *le culturel* »[6] - depuis une vingtaine d'années se manifeste comme celle de son instrumentalisation pour la fabrication du consensus (la dénégation de toute altérité politique au système capitaliste-libéral). L'assomption du « *culturel* » dans nos sociétés sert avant tout à l'usinage de cette nouvelle forme anthropologique, basée sur le conformisme, que le marché veut développer : l'homme consommateur et festif (fête et marché se mélangeant, venant à se confondre, comme dans les galeries marchandes des hypermarchés ou dans les restaurants « *fast food* ») ayant oublié que l'idée de Révolution a pu dans un passé encore récent remplir d'espérance l'existence de ses semblables. Que voit-on depuis vingt ans ? L'homme se privatisant de plus en plus, devenant chaque jour un peu plus une entité privée - une entité dont l'espace public est privé, mais pas le marché. Le repli sur soi, le retrait des affaires civiques (décrochage qui prive la cité de celui qui ainsi se replie) s'accompagne de la mercantilisation de soi, de la pénétration grandissante du marché dans l'espace de la vie privée : la privatisation de l'individu n'est que l'autre face de sa mercantilisation. Notre intimité indicible elle-même est quadrillée par le marché, au risque de rendre vulgaire ce que nous possédons de plus singulier. Cette mercantilisation s'infiltre jusque dans les recoins les plus secrets de la personnalité contraignant la psyché humaine à subir une trivialisation appauvrissante. La mercantilisation de l'homme opère par force une désingularisation de cette intimité personnelle, qui prend deux aspects : mutation de cette intimité en une masse d'objets communs (sa réification, pour employer un concept fréquent dans les œuvres de Marx et d'Engels) assimilables à des produits de consommation, d'une part, et transformation de celle-ci en une intimité *banalisée* devenue consommatrice.

Le capitalisme poursuit avec obstination le projet de fabriquer un certain type d'homme - un homme ayant perdu toute mémoire de la possibilité de la Révolution. Cependant, cet homme ne sera pas un homme nouveau, loin de là. L'homme que le capitalisme voudrait parvenir à fabriquer se signalera par ce trait majeur : chez lui, la nouveauté de l'homme sera devenue impossible, cet homme ne pourra jamais devenir autre chose que ce qu'il est. C'est au capitalisme qu'il convient de reprocher ce qui était reproché naguère aux diverses formes du socialisme : désirer fabriquer un homme définitif.

En l'espace d'une vingtaine d'années, la culture a été rendue inoffensive : civile, polie, policée et conforme, plutôt que civique et révolutionnaire. Rassembleuse plutôt que *conflictuelle*. Le capitalisme veut une culture de la civilité qui empêche (prévienne) les révoltes. Il veut une culture dépolitisée, une culture faite pour défaire le lien politique, une culture de dépolitique. Il veut une culture du consensus, du rassemblement de tous et de toutes dans la même communion avec le culturel (souvent le patrimonial, parfois le sportif, toujours le fédérateur) indépendamment des réalités sociales, de la division sociale, de la réalité des intérêts. Bref : le capitalisme veut une culture assurant la fabrication de cet homme définitif dont il a besoin pour se prémunir contre l'éventualité d'être un jour historiquement dépassé, remplacé par une autre configuration politico-sociale L'individualisme de masse et la privatisation de l'individu qui *désolent* chaque homme, l'isolant de toute vraie solidarité, trouve sa compensation illusoire dans le consensus et le caractère holiste des événements culturels. A mesure qu'il pénètre dans le for intérieur - ce *grand profundum* que Saint Augustin tenait pour inviolable - de chaque individu (au point qu'existent à présent des hommes qui identifient leur personne à des marques), le mercantilisme fabrique les événements dits culturels de masse dans lesquels, de préférence sous la houlette de ces mêmes marques, ces individus viendront vivre un ersatz d'existence collective.

Le capitalisme travaille à arrêter l'évolution de l'homme comme il s'affaire à arrêter celle de l'histoire - pour cette besogne, il s'applique à neutraliser la puissance révolutionnaire qui réside dans la culture en ramenant celle-ci ou bien à la tradition ou bien au commercial (ou encore au mélange des deux). Une crainte habite le capitalisme : un homme nouveau, une histoire qui continue, pourraient bien produire un homme et une histoire qui auront dépassé un jour ce capitalisme. Une peur le tenaille : que l'homme ait encore de l'avenir, qu'il possède encore la puissance de se transformer. Une angoisse le hante : que l'homme soit l'avenir de l'homme. Un adage implicite semble guider la conception contemporaine, réaménagée à partir de la contre-révolution reagano-thatchérienne, de la culture : « *pour la culture, contre les conflits* » ; autrement dit : la culture pour conjurer le retour, toujours possible, du spectre de la Révolution.

La culture comme « *mode de vie* » destiné à devenir une colle ajointant sans friction les unes aux autres toutes les communautés (dans le but de faire oublier qu'au-delà des communautés existent des classes sociales en guerre les unes contre les autres) : voilà la conception de la culture qui a été imposée dans le dernier quart du XXème siècle[7]. Il s'en est suivi une multiplication des fêtes en tous genres, médiévales et autres, une glorification *ad nauseam* du patrimoine, du passé, souvent reconstitué et rejoué en costumes d'époque, parallèlement à l'effacement du souvenir des fêtes révolutionnaires (on a, entre autres, rabougri le souvenir de la Révolution française à la seule date de 1789, on a expulsé de la mémoire collective la Commune de Paris). Ces festivités incarnent sous une forme ludique une conception idéaliste de l'histoire, elles expriment un idéalisme historique qui n'est pas toujours consciemment perçu comme tel. Combien de villes et villages s'adonnent à l'ivresse des fêtes médiévales ? Au culte des châteaux, seigneurs et châtelains, des églises, abbayes et paysans soumis ? A l'inverse, combien reconstituent (en costume et avec autant de faste), des moments révolutionnaires, des jacqueries, des révoltes de canuts, des essais de communisme, des mutineries militaires, la Commune de Paris ? L'exaltation du patrimoine (sur la matrice barréso-maurrassienne des fêtes du Puy du Fou) multiplie les événements culturels (les multiclone) en fusionnant tous les groupes sociaux dans la même nostalgie narcotique d'une existence passée - fusion de tous en une unité destinée à masquer l'existence des classes sociales antagonistes, à occulter la réalité de l'exploitation. A la moindre occasion l'accent est mis sur la notion de *communauté* dans le but d'évacuer de l'histoire une autre notion, celle de *classe*. Tout se passe comme si on destinait la culture à jouer le rôle - au même titre que le sport[8] - de grand narcotique social des sociétés ultralibérales de marché qui projettent de s'imposer planétairement - plus que l'opium du peuple la culture devient l'opium des sociétés de défaite du social. Cependant, des épisodes récents tels que le mouvement social de novembre-décembre 1995 en France et la révolte contre l'OMC à Seattle en 1999 témoignent de ce que la partie n'est pas gagnée d'avance pour le capitalisme. Le culture consensuelle est produite par le capitalisme pour répandre le nécessitarisme, cet avatar politico-économique de la *théodicée*[9] dans la philosophie leibnizienne ou de la cliodicée dans la conception hégélienne de l'histoire : que tous les hommes soient persuadés que la mondialisation, la déréglementation, la désétatisation, les délocalisations, la flexibilisation du travail et des existences sont inévitables ! Cette culture consensuelle contemporaine se propose de propager la croyance en une inévitabilité de la destinée socio-économique ultralibérale retrouvant par là le fatalisme leibnizien (tout est pour le mieux dans le meilleur des mondes voulu par Dieu) raillé par Voltaire dans *Candide*, à ceci près que c'est l'économie capitaliste qui joue dans ce discours le rôle qui était celui de Dieu dans le discours leibnizien.

Cette déferlante de la culture découpée en événements consensuels se révèle le plus souvent être une culture marchande, mercantile (faites donc un tour dans la cité de Carcassonne, ce monument historique devenu une galerie marchande !) qui prône des valeurs tantôt précapitalistes (quand il s'agit de reconstitutions historiques, de *Living History*) ou tantôt franchement capitalistes (comme dans les parcs d'attraction). L'imagerie d'Epinal fusionnelle qui accompagne la plupart des « *événements* » culturels ensommeille l'esprit critique. On peut rendre compte de cette épinalisation de l'histoire (sa réduction à une imagerie mystificatrice) par le besoin de répandre la croyance en la non-historicité de l'homme, de diffuser la foi en une naturalité anthropologique qui s'épanouirait à merveille dans l'organisation capitaliste de l'existence.

Rien de plus opportun que de s'inquiéter de la patrimonialisation (du devenir objet culturel) de tout. Il est aisé de détecter le but de ce saisissement de tout par la culture : rendre l'avenir *différent* impossible, conjurer la différence politique possible entre le présent et l'avenir. Obstruer le présent par le passé de telle sorte qu'il n'y ait point d'avenir. Là est le sens de la formule du capitalisme libéral comme *fin de l'histoire* telle que la prêche depuis l'effondrement du Mur de Berlin son prêtre médiatisé, Fukuyama[10]. Le capitalisme contemporain n'a qu'un souci : arrêter l'histoire. Si tout est culturel (la culture étant référée au passé, au déjà connu) il n'y a plus d'avenir ; le système peut être rassuré : il n'y aura pas de Révolution. Demain et après-demain seront à l'image d'aujourd'hui : des jours, des années, des décennies, des siècles dans le capitalisme sous sa forme la plus libérale possible. Toutes les perspectives seront fermées, ramenées à l'interminable réitération de l'activité capitaliste. Or, l'heure est venue de retourner contre le capitalisme l'argument dont François Furet[11] non sans quelques justes raisons accablait (après Raymond Aron[12]) le socialisme : *le messianisme d'une fin de l'histoire*. Dans son triomphe planétaire, le capitalisme contemporain en effet affirme : l'histoire et l'homme sont achevés, il n'y aura point d'au delà au libéralisme qui

réussit, ainsi qu'Adam Smith l'avait souhaité, l'accomplissement de la nature humaine.
A quoi travaille le capitalisme ? A ceci : que l'homme ne soit plus un animal historique et, par-dessus tout, qu'il ne redevienne jamais un animal politique ! Qu'il se fossilise comme consommateur, comme producteur, toujours fasciné par le yo-yo des cours de la bourse, comme investisseur, comme téléspectateur, comme main d'œuvre flexible anesthésiée par la profusion d'événements culturels ludiques et fusionnels[13] ! Le capitalisme en est sûr : un pareil homme, qui aura sombré dans le néant de l'humain, n'aura plus d'histoire. Il n'évoluera plus, il ne changera plus : ce sera le *dernier homme*. L'homme définitif, le dernier homme… Cette mise à l'arrêt de l'histoire, renforcée par une mise aux arrêts de l'idée de Révolution, s'accompagne d'une pétrification anthropologique - la plupart des événements culturels contemporains sont en effet montés à dessein de fabriquer cette espèce (ultime) d'homme non-historique.

Culture et politique : en se servant de la culture pour produire du consensus autour des valeurs (ou plutôt des pseudo-valeurs, des non-valeurs) capitalistes/libérales (ce qui engendre l'abaissement de la haute culture et la transformation de la culture populaire, rétive à la commercialisation, en culture de masse standardisée) les vingt dernières années se sont appliquées à annuler la potentialité révolutionnaire de la culture. Le « *tout est politique* » (même la culture) des années 60-70 a été renversé au profit d'un « *tout est culturel* » dans lequel le politique s'est volatilisé. C'étaient des années de lutte, celles du « *tout est politique* » ! Ce sont des années de fusion, de consensus, de fatalisme, de résignation, d'acceptation de l'ordre établi que toutes ces années du « *tout est culturel* » ! Certainement même des années où l'on a voulu renforcer en chacun, par la normalisation de l'imaginaire, l'ancrage de cette « *servitude volontaire* » que La Boétie avait repérée[14]. Partout sur la planète se déploie le même modèle festif-managérial de la culture avec le même objectif : dans les entreprises, dans les médias, dans les galeries marchandes des hypermarchés, dans les villes, et maintenant dans l'école ; à chaque fois le même schème se réitère : s'assurer de la docilité des dominés par la fête. On transforme la fête et la culture en moyens de manager les « *ressources humaines* » ! Fusionner les hommes pour que ne germe plus de sentiment politique, pour que l'idée même de Révolution s'efface du ciel des idées - fusionner les hommes afin que meure le grain. Une culture émancipatrice serait une culture qui parviendrait à nous arracher aux traditions, aux appartenances héritées, aux déterminismes naturels et sociaux, à l'état présent des choses ; or les « *événements* » culturels concoctés depuis une vingtaine d'années ont plutôt pour fonction d'enraciner, d'empayser[15], autrement dit se développe sous nos yeux une culture désémancipatrice en opposition avec tout ce que le mouvement révolutionnaire avait pratiqué depuis 1789. Jack Lang fut le premier à institutionnaliser cette culture désémancipatrice (fusionnelle) parfaitement contraire à la conception progressiste de la culture.

La conception dominante de la culture comme ce qui permet de vivre ensemble reprend précisément comme sauvegarde du capitalisme le rôle qu'assura de la religion en tant qu'idéologie au XIXème siècle. Mais c'est une religion sans dieu désormais, une religion qui ne célèbre qu'une seule liturgie, celle du sentiment holiste et fusionnel de se retrouver ensemble, de se tenir au chaud ensemble du r.m.iste le plus démuni au PDG. Une mystification ! La société culturelle festive dans laquelle nous sommes entrés est celle qui se structure autour du déni du politique, de la négation des oppositions de classe, de l'occultation de l'horreur effective qu'organisent tous les reculs sociaux, du refus de la politicité des hommes. Aucun doute n'est permis : la culture fabricatrice d'« *événements* » conserve quelque chose de la religion, au sens où Marx la critiquait, en tant qu'idéologie ! A l'idéologie religieuse s'est substituée l'idéologie culturelle - avec l'évacuation de toute forte culture, haute culture, soigneusement mise à l'écart des masses car trop dangereuse. Ces événements culturels de style récent consistent - à l'instar de la religion en tant qu'idéologie - dans l'organisation d'une mobilisation collective autour du vide. Ils témoignent d'une véritable disneylandisation de la culture.

Aujourd'hui la culture est instrumentalisée pour dépolitiser - elle est devenue une sorte de puissance négative de dépolitisation, de paralysie du désir de politique. L'urgence s'impose de la rendre plus tranchante, plus séparatrice, de lui restituer sa capacité d'opposer les classes sociales les unes aux autres, de la délivrer de la tyrannie consensus. Que revienne le temps où la culture saura rallumer des guerres au sein de la société, souffler sur les brasiers ! Depuis 1981 la culture est utilisée comme instrument de pacification de la société - à l'instar de la religion jadis, lorsque se multipliaient les campagnes de rechristianisation destinées à rendre les ouvriers et les paysans plus dociles. La pacification sociale se produit toujours au détriment des classes inférieures, des plus faibles. Naguère encore les pacifications étaient l'affaire de la soldatesque ; on tirait sur les ouvriers émeutiers, ou simplement en grève. On imposait la paix sociale par les armes. Aujourd'hui les pacifications sont l'affaire de la culture. Voyez comment depuis vingt ans le thème de la promotion de la culture (donnée à consommer sous la forme d'événements consensuels et de leurs produits dérivés) accompagne l'effacement de celui de la Révolution. La culture a servi à se débarrasser de la Révolution alors que jusqu'à la fin des années 70 du XXème siècle elle entretenait un rapport intime avec l'idée de Révolution. Le tournis culturel permanent du « *tout est culturel* » est organisé pour effacer le « *tout est politique* » et l'idée de Révolution que ce principe pourrait induire. L'ivresse permanente de la culture fusionnelle et consensuelle pour oublier l'idée de Révolution : l'enfermer dans un placard. On s'attache à promouvoir la culture afin que nul ne soit plus jamais tenté par un refus politique radical de la civilisation libérale-capitaliste.

Le sens du mot « *culture* » s'est brouillé à cause de sa trop grande extension. Tout a été fait pour qu'il se brouille, pour que le confusionnisme s'empare des esprits. On ne sait plus aujourd'hui la différence entre ce qui est de la culture et ce qui n'en est pas, tout ayant acquis la dignité du culturel. Tout rentrant désormais dans la culture, celle-ci a perdu sa puissance subversive et s'est changée en un outil de pacification des relations sociales. La culture pour assurer la paix au capitalisme ; la culture pour éconduire le spectre de la Révolution ! Au fond cet usage de la culture a éloigné le spectre du communisme évoqué par Marx et Engels en ouverture au *Manifeste du Parti Communiste*[16] ; il se révèle une efficace magie contre les spectres menaçants. Le capitalisme a confié à la culture des pouvoirs analogues à ceux d'un exorciste : désenvoûter le social de telle sorte qu'il ne soit plus hanté par l'espoir d'un monde différent, d'un au-delà du capitalisme, chasser définitivement de la société le fantôme obstiné de l'autre monde à venir, le socialisme. Si « *le spectre du communisme* » ne vient plus hanter les sociétés libérales-capitalistes, cette nouvelle conception de la culture y est pour quelque chose. En liaison avec cette transformation édulcorante de la culture, nous avons assisté à l'annulation de la question de l'homme (remplacée par un néo-humanisme fade et éternitaire), à l'annulation de la question politique de la Révolution, au retour des conceptions organicistes et communautaristes de la société - qui, il y a encore vingt ans, aurait pu imaginer une pareille régression intellectuelle, culturelle, sociale et politique ?

Qu'est- ce que la politique - ce mot si prostitué, si méprisé aujourd'hui ? Ce mot qui est devenu une maladie honteuse - certes, ce mot survit, mais malade ; il survit à défaut d'avoir été complètement éliminé comme l'a été celui de « *Révolution* », ou d'avoir été ringardisé comme l'a été celui de « *capitalisme* » (au profit de celui, euphémisant, de libéralisme - presque plus personne n'osant appeler le système économique actuel par son véritable nom, le capitalisme). La culture ne s'est-elle pas employée depuis deux décennies à essayer par tous les moyens de tordre une fois pour toutes le coup à la langue des luttes (dont le lexique comprenait les mots de « *politique* », « *exploitation* », « *capitalisme* », « *Révolution* », et tant d'autres) ? Ces mots, on ne les entend plus dans les événements culturels, dont ils ont été expulsés. Pourtant Aristote, Machiavel, Rousseau continuent de nous enseigner que la politique est l'affaire la plus importante de l'homme : c'est à travers elle qu'il devient humain, c'est elle - et non pas un ou plusieurs dieux, et non pas non plus la nature - qui le crée. Hobbes suggère que cet art qui crée « *ce grand Léviathan qu'on appelle république ou Etat*[17] », véritable « *homme artificiel* », crée également l'homme dans la mesure où il s'avère impossible de vivre en homme dans l'état de nature, cruel règne lycanthropique de la « *guerre de tous contre tous* ». L'homme est fils de la politique. Il faut reconnaître, dans la lignée de Hobbes et de Rousseau, que la politique est la véritable (auto) anthropogenèse : l'autocréation continue de l'homme dans le temps ; c'est cette autocréation *continuée* qui institue l'*histoire*.

Création, institution, autocréation et autoanthropognèse, la politique n'est certainement pas - malgré la dimension de conflit et d'irréconciliation qu'elle suppose- ce qu'en écrit Michel Foucault : « *la politique, c'est la guerre continuée par d'autres moyens* »[18]. Foucault méconnaît la rupture entre l'état naturel de guerre et la situation conflictuelle qui fournit à la politique son atmosphère vitale. La politique – la vraie politique, celle que l'on peut viser sur le fond de la définition de l'homme proposée par Aristote - n'est pas du tout non plus ce qu'en disent les journaux. Les journaux ne savent pas ce qu'est la politique. Ceux que la presse et les institutions désignent comme étant « *les hommes politiques* » ne peuvent pas le savoir non plus. La politique n'est absolument pas ce qu'on croit ordinairement : les intrigues, les manigances, les bains de foule, les palabres de couloir, les petites phrases, les sondages, les effets d'annonce, les pouvoirs, les faux-pouvoirs, la parade et les spectacles. De fait, dans la société actuelle, les décisions publiques sont toujours prises en privé, autrement dit l'espace public est privatisé - accaparé par le non-public -, le citoyen est privé de l'espace public. Ce que les journaux et les politiciens nomment abusivement *politique* n'est rien d'autre que la confiscation de la politique aux dépens du citoyen, rien d'autre que l'usage privé de l'espace public par les politiciens professionnels.

Donnons un sens à ce mot : la politique est, sous l'effet de l'action collective, le devenir public (auquel tous participent) des affaires publiques. Allons plus loin : la politique est le devenir public de la propriété privée. Pour l'instant - ce qui prouve, contre François Furet, que la Révolution française est loin d'être achevée - la politique demeure l'apanage d'une caste (improprement appelée dans les médias « *classe politique* »). L'apparition de la vraie politique suppose la disparition de cette caste de politiciens professionnels. Autrement dit la vraie politique surgit d'un arrachement à ce qu'a été la politique jusqu'ici dans la presque totalité de l'histoire humaine (et dont les descriptions géniales de Machiavel dans *Le Prince* fournissent le modèle quasi universel).

Il ne peut exister de vraie politique sans une dimension d'irréconciliation (qui bien sûr n'a rien à voir avec la *guerre naturelle* qui précède la politique) contradictoire avec le tropisme fusionnel que développe la culture contemporaine. Irréconciliés, non-réconciliés : la politique est cette pratique créatrice qui travaille dans le feu de cette irréconciliation, dans le creuset de l'opposition. La disparition de la caste politique professionnelle, stigmate de la division du travail dans la société, doit résulter de la politisation du peuple dans son ensemble, de la politisation généralisée. La politique (quand elle vient à existence, c'est-à-dire très rarement, par exemple sous la Commune de Paris en 1871) se nourrit de cette irréconciliation. Dès que l'on cherche à effacer cette dimension de l'affrontement (par les pratiques idéologiques fusionnelles : la religion, un certain usage de la culture, le sport-spectacle), on empêche chaque homme d'accéder à sa politicité potentielle, de vivre dans le différend qui figure la condition de la politique. Les déchirements et les affrontements (par exemple les affrontements de classe) sont la condition de la politique ; la culture devrait les exalter, si ce n'est les exacerber, plutôt que les gommer.

Nous avons avant tout besoin d'une culture qui divise, d'une culture de division, d'une culture qui oppose, d'une culture d'opposition.

La libéralisation débridée de l'économie - son ensauvagement - conjuguée avec le recul des idées socialistes et la mondialisation a multiplié le nombre des exclus. Ces derniers sont les produits du fanatisme libéral qui ravage la planète depuis le début des années 1980. Ainsi a-t-on vu revenir sur les trottoirs des villes opulentes, au cœur des pays les plus riches de la planète, les formes les plus typées de la misère humaine. Les exclus sont exclus à la fois de la culture et de la politique ; étant exclus de la culture ils sont exclus de la possibilité même de se réaliser comme animaux politiques. Mais les autres ? La culture manque aussi bien souvent aux inclus, aux bien nourris gavés d'une sous-culture, ou non-culture médiatique qui les immobilise dans le rôle de travailleur et de consommateur. Le droit à la culture n'est pas respecté la plupart du temps chez ceux qui sont inclus, qui ont un accès satisfaisant aux droits vitaux ; on préfère pour eux l'aliénation (ou la paupérisation intellectuelle) parce que celle-ci favorise à la fois l'obéissance et la consommation, excite des comportements de consommateurs automatisés, induit un asservissement mécanisé à l'industrie du divertissement. D'une certaine façon les inclus sont enfermés dans la consommation dont on a fait leur prison, qui les empêche de s'élever à la politicité. On peut vivre dans l'aisance et ne pas être tout à fait un homme, ne pas accéder à la dignité de l'« *animal politique* ». Aussi bien pour les inclus que pour les exclus, il faut envisager la culture (au contraire du caractère dépolitisant qui lui a été conféré ces vingt dernières années) comme un dispositif pouvant/devant les réinsérer dans la politique.

L'être humain qui chavire dans l'exclusion pénètre dans le monde de ceux qui risquent de perdre toute apparence humaine. Dans cet univers terrible on voit l'existence se réduire à la vie nue, à la vie-survie infrahumaine. Etre exclu, c'est être exclu du langage. Le langage est cette activité qui fonde le double rapport aux autres (le lien social) et à soi (la conscience). Le mal du langage ronge les exclus, les efface peu à peu du regard des autres et de leur propre regard, les gommant à la fois de la société et de la conscience. Un mois de galère par-dessus l'autre, à n'en plus finir, une année de mendicité par-dessus l'autre, à n'en plus rien espérer, la maladie du langage ne cesse de gagner, telle une gangrène de la personnalité.

Or, la culture peut beaucoup pour les exclus ; disons même qu'elle peut tout. L'exclusion est marquée par l'intériorisation d'un interdit de parler : l'exclu s'interdit de parler aux autres/avec les autres tout comme il s'interdit de *se* parler à lui-même. L'exclu survit dans un monde sans la parole. La faculté du langage est réduite à l'énonciation de l'utile à la survie ; elle n'arrive plus à transporter ni la pensée, ni le sentiment, ni l'imaginaire, elle n'arrive plus à métaphoriser[19]. C'est comme si *pensée, sentiment, imaginaire* étaient interdits. L'exclu est enfermé dans le monde inhumain où les paroles ne sont plus que des informations. Etre exclu, voilà un désastre qui se traduit par l'impossibilité de la parole, son interdit - être exclu, c'est avant tout avoir été jeté par-dessus bord de la parole. Le lien social est langage, l'homme au plus profond de lui-même, spécifiquement, est (ainsi qu'Aristote l'a découvert) langage, logos[20]. L'homme existe par le lien tissé avec d'autres hommes, le lien social - « *un homme absolument isolé* », voilà une formule qui ne contient aucun sens, car cet individu ne serait plus un homme. Et pourtant l'exclusion tend vers cette limite extériorisante où les hommes disparaissent dans le néant du déshumain - hommes sans cité, sans feu ni lieu, sans mots ni miroirs, abandonnés au déshumain. Le fil qui tisse ce lien humain est justement le langage - la vraie couture entre les hommes. Le langage oeuvre en double couture : d'une part il lie chaque homme à chaque homme, liant les hommes les uns aux autres (ainsi se tisse le lien social qui donnera son étoffe au lien politique[21]) quand d'autre part il lie chaque homme à lui-même (ainsi se tisse la personne singulière).

On ne peut penser l'homme ni en dehors du langage ni en dehors des liens de la société. Par suite, ne plus pouvoir parler, c'est ne plus pouvoir être. Etre exclu, c'est sans doute aussi ne plus pouvoir se parler à soi (la médiation du langage permettant ce rapport de soi à soi qui disparaît progressivement chez les exclus, au fur et à mesure de leur dégringolade). Ainsi l'exclusion s'accompagne-t-elle d'une double impossibilité d'être : ne plus pouvoir être quelqu'un aux yeux des autres puisqu'on ne peut plus leur parler et ne plus pouvoir être soi à ses propres yeux, ne plus pouvoir se reconnaître puisqu'on ne plus se parler à soi-même. Exclu de la société, l'exclu est toujours exclu de lui-même comme si le moi avait disparu ne laissant derrière lui qu'un zombie ou qu'un sac de peau, ce moi avec lequel, le langage s'appauvrissant de jour en jour, l'exclu ne peut plus entrer en contact. Par suite, ce qui dans le processus de l'exclusion s'efface en même temps que le langage, c'est aussi le visage : nous ne voyons plus le visage de l'exclu (il n'est plus un homme reconnaissable à son visage) et celui-ci ne se reconnaît plus lui-même, ne voit plus son propre visage, n'imagine plus qu'il a pu *avoir* un visage/qu'il a pu *être* un visage. Comble de l'exclusion : l'homme réduit à la vie nue, celle qui jouxte le néant, est celui qui a perdu son langage et son visage. L'homme privé de langue, l'homme privé de figure.

Comment retrouver un visage ? Comment retrouver le langage ? Comment depuis ce bord de disparition récupérer sa figure, récupérer ses mots ? Revenir dans le monde du langage, en effet, signifie revenir dans le monde de ceux qui ont un visage : ceux qui sont regardés par les autres et qui peuvent se regarder eux-mêmes. Restaurer chez les exclus le langage prend l'allure d'un travail tout à la fois culturel et politique. Les retrouvailles avec le langage restaurent aussi bien le lien avec les autres que le lien avec soi-même. L'exclu redevient un être humain que les autres reconnaissent et qui se reconnaît lui-même ; dès ce moment là l'exclu commence à sortir de l'exclusion. La lecture (organisée dans des clubs de lecture destinés à échanger la parole à partir des livres avec d'autres) et le théâtre font office de moyens privilégiés pour ce retour dans la condition humaine ordinaire ; il ne s'agit pas uniquement de culture, il s'agit essentiellement de politique : tisser à nouveau le lien aux autres (le lien social) afin que le lien politique (la possibilité d'entrer en conflit politique, de s'intégrer aux luttes politiques) redevienne possible. La lecture et le théâtre restituent leur profondeur au langage en le libérant de la tyrannie de l'information, le transformant ainsi en parole. La lecture et le théâtre sont ces lieux privilégiés dans lesquels la culture redonne au langage du sens, ce dont il est délesté quand il se limite à l'informatif ; c'est pourquoi ces pratiques constituent un puissant levier dans les processus de désexclusion. La culture - la lecture, l'écriture, le théâtre- s'élève ici à son sens politique : elle reste le seul moyen d'orienter l'exclu sur la voie de l'existence politique. Il faut combattre la dangereuse chimère - dont Marx avait aperçu la nocivité- selon laquelle les exclus (analogues au *lumpenprolétariat* chez Marx) seraient comme tels une puissance révolutionnaire. Michelet le savait, lui qui répétait sous des formes diverses : *au delà de Marat il n'y a rien*. C'est - au contraire de l'ambigu préjugé philo-plébéien partagé par certains révolutionnaires - à partir de leur retour (assuré par la culture) dans la commune humanité, autrement sur le fond de leur désexclusion, que ces hommes et femmes peuvent récupérer leur capacité politique.

Chez les inclus, lecture et théâtre prennent souvent part parmi les simples divertissements. On lit, on écoute de la musique, on va au cinéma ou au théâtre pour s'évader de la réalité. Chez les exclus l'enjeu des pratiques culturelles montre un aspect autrement plus puissant : il en va de la possibilité de vivre, l'enjeu étant leur être même. Il n'est plus question de s'évader de la réalité (réalité du monde ou réalité de soi), de se noyer dans une culture illusionnante dont la fonction serait l'oubli de la détresse, mais d'y faire son retour. Il est bien plutôt question de retourner dans une réalité dont on a été expulsé. L'enjeu de la culture quand on est un exclu se ramène à une terrible alternative : *être ou disparaître*. La nécessité d'être constitue le nœud des pratiques culturelles quand elles sont abordées par un exclu. Quand la chance lui est donnée de se retrouver aux prises avec la culture, un exclu ressent spontanément l'enjeu qui tenaille la très haute culture chez les créateurs (qu'on relise les lettres de Van Gogh à son frère Théo : peindre ou disparaître, peindre pour être). Les inclus éprouvent beaucoup plus de difficultés à prendre la mesure de cet enjeu. L'exclu se débat avec la même nécessité que celle qui taraude les très grands créateurs ; or, cette situation extraordinaire de sympathie entre l'exclu et le très grand créateur, tous les deux jouant leur vie dans les pratiques culturelles, n'est que très rarement rencontrée par l'inclus qui souvent consomme de la culture sur le mode extérieur du spectacle. Sur celui du simple divertissement, au sens pascalien, de la diversion : sortir de soi pour se fuir, pour ne point être soi[22]. Alors que chez l'exclu la culture se retourne nécessairement dans le contraire de ce divertissement : dans le sérieux où se joue la condition du pouvoir être. L'affaire pour lui n'est pas de se fuir, ni de s'évader, l'affaire pour lui est de se (re) trouver. Une telle sympathie de condition entre l'exclu et le créateur implique que la possibilité existe permettant de réussir la rencontre entre la haute culture et les exclus, tout en faisant l'économie de la démagogie méprisante consistant à réserver aux exclus des pratiques culturelles de second ordre. Jean Vilar voulait instaurer une ligature entre la très haute culture et le peuple. Tenaillé par la nécessité d'être (torturé par l'alternative : être ou disparaître) l'exclu possède ipso facto l'aptitude à entrer en contact avec la plus haute culture. Que l'on se souvienne de Van Gogh, que l'on se souvienne d'Artaud : créer pour être, créer sinon disparaître ! L'artiste, l'écrivain, le philosophe ne peuvent échapper à cette injonction qui émerge du plus profond de leur personne : créer est pour eux l'absolue nécessité par laquelle ils vivent. Voyons dans ce terrain de la nécessité créatrice le lieu commun où se rassemblent en une même expérience les créateurs et les exclus.

La culture peut-elle devenir un droit ? La revendication du droit à la culture exige qu'elle soit posée en termes de droit fondamental supposant que ce droit vienne rejoindre les droits vitaux (nourriture, travail, logement, éducation) dont il est le prolongement logique : si les droits vitaux garantissent la base matérielle de la possibilité d'être un homme, le droit à la culture garantirait quant à lui la possibilité d'accomplir cette humanité. Comment concevoir le droit à la culture ? Ainsi : au sein des droits fondamentaux, le droit à la culture joue le rôle de complément des droits vitaux. D'une part, ce droit s'identifie au droit d'échapper à la soupe médiatique (principalement télévisuelle, mais pas seulement) et d'être aidé dans cette délivrance. C'est le droit d'échapper à une culture qui se réduit à une consommation passive de produits dits *culturels* (une non-culture mercantile). Le mercantilisme culturel dénie en permanence de façon subliminale ce droit en transformant les œuvres en produits et en marchandisant toutes les activités culturelles. D'autre part, et surtout, le *droit* de chacun à la culture s'exprime pour les autorités sous la forme d'une *obligation* : celle d'offrir à chacun les moyens pour l'accès à une culture différente de la culture de simple divertissement, de la culture dépolitisante destinée à grégariser les hommes dans le consensus, de la pseudo-culture d'aliénation, bref l'obligation d'offrir une culture développant chez chaque homme l'aptitude à s'approprier la vie publique. Le droit à la culture se traduit par l'obligation pour les pouvoirs publics de diffuser une culture politisante.

Autrement dit ce droit serait celui d'échapper à la culture conçue comme simple divertissement ; la *vraie* culture ne s'inscrit pas dans l'ordre du divertissement, elle contient un sens politique, elle est une action politique : élever chacun, inclus et exclu, à la stature du citoyen. A l'horizon de la culture se dessine un idéal : *la démocratie intégrale* qui exige bien sûr (c'est pourquoi Rousseau a pu écrire que la démocratie était un régime fait pour des dieux plutôt que pour des hommes) des citoyens intégraux (des êtres humains pleinement politiques). L'idéal démocratique, l'accomplissement de chaque homme comme animal politique requiert que l'on exalte *le sens politique du droit à la culture* (sens aujourd'hui occulté dans la mesure où l'on veut maintenir la culture dans une sphère autonome consensuelle, la plus mercantile possible, séparée de l'éventualité du partage du pouvoir et du dépassement de la propriété privée). La culture est le chemin qui conduit de la vie tout court à la vie humaine, la vie politique. Sans la politique, la vie humaine se condamne à rester la simple vie pas vraiment (pas complètement) humaine que semble désigner la formule « *droits vitaux* » ; ceux-ci ne concernent que le squelette de la vie humaine, son support, tandis que le droit à la culture en concerne sa chair, son contenu. Tant qu'ils n'intègrent pas la culture, les droits vitaux n'accèdent pas au statut de droits complètement humains par le fait qu'ils se ramènent au droit à la simple survie (bref, aux droits qui ne sont pas des droits en tant qu'homme, qui ne s'adressent pas spécifiquement aux hommes, qui sont des droits s'adressant aux hommes seulement en tant qu'être vivants). Ainsi, plutôt que de dire que le droit à la culture est un droit politique, il paraît plus pertinent de dire que le droit à la culture est le droit à la politique (le droit de faire de la politique, au sens le plus fort de ce mot).

La culture, à quoi bon ? A permettre à l'homme de s'accomplir comme *animal politique*. Pourtant la plupart des politiques culturelles conduites actuellement poursuivent précisément le résultat opposé : intégrer chaque individu dans un consensus d'où se sera absenté aussi bien le désir du conflit politique que la pensée (le projet) d'une société radicalement autre, rendre inimaginable l'altérité socio-politique. La culture, à quoi bon ? A jouer son rôle d'une auto-anthropogenèse politique. Autrement dit à remettre l'histoire en marche - à réamorcer, à reprendre le Temps des révolutions - à rendre l'histoire aux hommes pour qu'ils la *fassent*. A faire grandir dans les hommes les moyens pour que les hommes s'approprient leur existence, pour qu'ils deviennent propriétaires de leur propre vie, pour qu'ils libèrent leur vie du poids du passé et des déterminismes de toutes sortes. A travers ces finalités, le sens de la culture se dévoile : déchirer le fatalisme politique du temps présent en portant à la visibilité l'image d'un monde autre, d'une autre vie, laissant transparaître la prémonition de ce monde libéré.

Le véritable objet de la culture est moins de réconcilier que de déréconcilier, ou d'irréconcilier. Il est de tendre l'esprit jusqu'au déchirement, jusqu'à ce bord d'abîme où également naît le désir de faire de la politique. A la suite d'Héraclite, les Grecs de l'Antiquité connaissaient un nom pour ce bord d'abîme : *polémos*. Ce mot, traversé par l'idée du conflit dans sa dimension originellement créatrice, nomme le berceau commun de la philosophie, de la culture et de la politique. Culture consensuelle et politique consensuelle ne construisent ni une vraie culture ni une vraie politique. Le *polémos*, la division et le conflit, la déchirure et l'affrontement, hantent depuis les origines les racines de toute création ; la politique et la culture, si elles veulent subsister, se doivent de les rechercher.

La politique est l'avenir de l'homme ; c'est en elle seule que l'homme devient homme *vraiment*. Reconnaissons dans la culture l'itinéraire que l'homme doit emprunter pour parvenir au stade accompli de l'animal politique ; en effet, la politique exige des citoyens formés, informés, tous également capable de délibérer, de créer, de débattre et de se battre, de lutter, de prendre possession de leurs propres affaires communes, en pleine lucidité. Qu'est-ce que la culture ? Au total, le mieux est de la définir ainsi : la culture est une *puissance d'émancipation* (elle arrache chaque homme à son destin social hérité), elle aussi une *puissance d'accomplissement* (elle permet à chaque homme de se hisser à sa hauteur d'animal politique) et elle est enfin une *puissance de transformation* (elle transforme l'homme, permettant à chacun de devenir un autre).

Novembre 1999-janvier 2000

ANNEXE

LE FROID : UN " *ASSASSIN DE PAILLE* "*

Une journaliste de FR3 commentait - au grand étonnement du téléspectateur devant un geste qui, sur le fond d'autant de certitude autosatisfaite, redouble par des mots cathodiques l'exclusion - lors des informations nationales de 19 h 30 le samedi 28 décembre 1996 le refus de quelques SDF d'aller s'abriter dans certains gîtes, en moralisant : « *ces SDF s'excluent d'eux-mêmes* ». Plus généralement, la presse - sous toutes ses formes - ne cesse d'affirmer qu'en ce début d'hiver glacial, des personnes meurent « *victimes du froid* ». Qu'en est-il vraiment ? Cette manière de s'exprimer traduit-elle la vérité ?

Les morts de froid sont des morts politiques. Ce ne sont pas les intempéries qui furent à l'origine de la catégorie des « *fins de droits* », ce ne sont pas elles non plus qui permettent, à travers toutes sortes d'exonérations de charges sociales de taxes et d'impôts, un tel pillage par les intérêts particuliers de la richesse collective que les budgets sociaux en sont anémiés, ce ne sont pas elles non plus qui multiplient les stages-impasse, les CDD, les CIE, les CES, les emplois sous-

* Une version abrégée de ce texte a été publiée dans *Regards. Le mouvement des idées*, n° 21, février 1997.

payés et réduits à des sigles, à la lisière de l'esclavage ! Ce ne sont pas elles non plus qui expulsent les pauvres de leurs logements, qui les privent du nécessaire, qui leur ôtent toute considération aussi bien que toute autoconsidération, qui les collent au bitume, à la hauteur des tibias des passants, qui les éloignent des soins médicaux, qui engendrent la misère.

De quoi meurent les clochards ? Du froid ? Nullement ! De l'hiver ? Nenni ! Ils meurent du libéralisme économique, du fanatisme ravageur de l'économie privée - de fait, la déréglementation de l'économie tue tout autant que l'extrémisme religieux, et ses victimes le sont d'un terrorisme tellement accepté qu'il n'est jamais aperçu comme tel !-, de la démission des politiques devant les exigences des puissances financières, de l'incapacité de la société à imaginer une alternative au capitalisme. Ils meurent de l'économie, il meurent du vide politique, de l'absence de toute politique capable de s'opposer à la sauvagerie économique, ils meurent du déchaînement de la propagande antisociale (Raymond Barre, Edouard Balladur[23] et Alain Madelin ne considèrent-ils pas les acquis sociaux comme des luxes outranciers ?) entrepreneuriale-libérale. Ils meurent du déclin de l'Etat. Ils meurent du chiffre d'affaire des entreprises. De l'obsession du bilan. Ils meurent de la Bourse.

Le froid n'est que l'arme du crime. Les appels à la charité - humanitaires, quoique également d'une inhumaine cruauté : par exemple à Bordeaux, après avoir convié des sans abris à un repas de Noël très médiatisé, on les a renvoyé à leurs non-logis ! - ne servent qu'à masquer le coupable. La charité fait diversion, disperse la pensée, fatigue la volonté civique. Les discours caritatifs sont une fuite destinée à cacher qu'on ne fera rien contre la pauvreté, contre la précarité - bien au contraire, toutes les politiques de l'emploi envisagées ne cherchent qu'à développer cette précarité, favorable paraît-il aux entreprises, baptisée du doux nom de « *flexibilité* »[24] - contre l'exposition des corps et des vies à la faim, au gel, à la fumée des voitures, à la crasse du macadam, au mépris, à la maladie, à l'effroi, jusqu'à l'épuisement, jusqu'à l'exténuation, jusqu'à la mort.

N'est-il pas hypocrite de se scandaliser de la mort d'un clochard, quand chacun sait bien que ce misérable ne peut mourir nulle part ailleurs que dans la rue ? N'y a-t-il pas, derrière ces hauts cris poussés par une société civile qui se pique du culte de la performance, qui cultive le dédain de la politique et qui ne voit d'autre salut que dans l'intérêt privé, une abjecte bonne conscience collective ? Ces agonies gelées ne sont-elles pas la rançon, ou plutôt la menue monnaie, d'une idéologie de l'efficacité économique quasi universellement partagée ? La mort sur le trottoir, solitaire et anonyme, enveloppée dans des cartons qui singent un ultime résidu de digne pudeur, dit aussi bien la vérité du destin des SDF qu'elle annonce quelque chose qui menace chacun d'entre nous : encore exceptionnelle aujourd'hui, elle deviendra peut-être demain - si la barbarie libérale réussissait à étendre son empire à tous les domaines de l'existence publique - banale.

Le métaphorique *Général Hiver*, dont dans notre adolescence nos professeurs d'histoire nous expliquaient l'implacable stratégie, s'est changé dans l'imaginaire collectif contemporain en un assassin sibérien, brigand aussi nocturne qu'insaisissable, tueur perfide, qui frappe les malheureux au coin de la rue, et dont on déplore les meurtres avec fatalisme comme s'il s'agissait d'un mal inévitable.

L'histoire de notre siècle nous a appris à être attentif au langage, à ce qu'il porte en lui, à ce qu'il prépare. « *Victimes du froid* » ? Quelle formule fabriquée pour classer sans suite le crime, pour le naturaliser ! « *Le froid* » ? Quel étrange assassin ! Un *assassin de paille* - comme, dans les conseils d'administration, on dit « *un homme de paille* » ! - parfait faux coupable qui dispense de tourner le regard vers la véritable question de la soumission du politique à l'économie.

6 janvier 1997

NOTES

1 - Aristote, *La Politique*, I, 2 (dans l'édition Vrin, voir les pages 24 à 31).

2 - Guy Debord, *La société du spectacle*, Champ Libre, 1971.

3 - Gérard David, *La Démocratie*, Editions du Temps, 1998.

4 - Herbert Marcuse, *L'homme unidimensionnel*, (traduction française, Editions de Minuit, 1964).

5 - Ernst Bloch, *Le Principe espérance* (traduction française Gallimard 1976) et *L'Esprit de l'utopie* (traduction française Gallimard, 1977).

6 - Michel Deguy, *L'énergie du désespoir*, Presses Universitaires de France, 1998, pages 57-58.

7 - Dans le champ de la philosophie politique (sur les ruines du marxisme et le déclin de l'universalisme républicain) cette période a été celle du développement (venu des Etats-Unis) de la pensée communautariste.

8 - Robert Redeker : « Le sport, une illusion de civilisation », *Raison Présente*, n°132, automne 1999.

9 - La théodicée est la justification du mal par Dieu ; par ailleurs Dieu y est l'entité qui fixe le destin, auquel il est

impossible d'échapper et contre lequel il est aussi vain qu'impie de se révolter. Clio étant la muse de l'histoire, on peut (à la suite de François George qui a forgé ce concept) s'autoriser à nommer cliodicée toute justification du mal par l'histoire (par exemple Hegel affirmant dans les *Leçons sur la Philosophie de l'histoire* que « Le mal dans l'univers doit être compris, et l'esprit qui pense réconcilié avec ce mal »). Dans ce cadre, l'entité qui fixe le destin est l'histoire. La cliodicée fait jouer à l'histoire le rôle qui était celui de Dieu dans la théodicée. L'économisme contemporain substitue l'économie à l'histoire et à Dieu. Dans l'idéologie économiste dominante aujourd'hui, il est présupposé que l'entité qui fixe le destin des hommes sans qu'il soit possible de le modifier par la volonté est l'économie mondialisatrice. Ainsi se dévoile la structure inconsciemment théologique de la forme libérale de l'économisme.

10 - Francis Fukuyama, *La fin de l'histoire et le dernier homme*, Flammarion, 1992.

11 - François Furet : « 1789-1917 : aller et retour », *Le débat*, n°57, novembre-décembre 1989.

12 - Sylvie Mesure, *Raymond Aron et la raison historique*, Vrin, 1986.

13 - Avec une perspicacité sans égale, Tocqueville dans *De la démocratie en Amérique* a analysé ce projet anthropologique de dépolitisation et déshumanisation inhérent à l'articulation entre démocratie/capitalisme/libéralisme.

14 - Etienne de La Boétie (1530-1564), *Discours de la servitude volontaire*, Payot, 1976.

15 - Qu'on m'autorise ce néologisme contrastant avec dépayser !

16 - Karl Marx-Friedrich Engels, *Manifeste du Parti Communiste* (1848). La première phrase (Editions Sociales 1972) de cette œuvre est : « Un spectre hante l'Europe : le spectre du communisme ».

17 - Thomas Hobbes, *Léviathan* (1651), Editions Sirey 1971, page 11.

18 - Michel Foucault, *Il faut défendre la société*, Seuil/Gallimard, 1997, page 16. Giorgio Agamben défend des positions semblables dans l'erreur à celles de Foucault.

19 - Etymologiquement, la métaphore est un transport.

20 - Pour Lacan, c'est l'inconscient lui-même qui est structuré comme un langage.

21 - Ce n'est pas pour rien - c'est même une intuition fondamentale - que Platon définit le politique comme étant le tisserand.

22 - « L'unique bien des hommes consiste donc à être divertis de penser à leur condition ou par une occupation qui les en détourne, ou par quelque passion agréable et nouvelle qui les occupe, ou par le jeu, la chasse, quelque spectacle atta-

chant, et enfin par ce qu'on appelle divertissement ». Pascal, *Pensées*, Editions du Seuil, coll. L'Intégrale, 1975, p. 516.

23 - *Le Monde* daté du 18 décembre 1996. Après avoir affirmé qu'« on ne peut pas conserver en l'état tous les droits acquis », E. Balladur se demande si « une protection excessive ne constitue pas une menace, y compris pour ceux qui en bénéficient ». Le SMIC, le RMI, la législation du travail sont-ils des « protections excessives » ?

24 - L'OCDE dans un rapport de juillet 1996 sur la situation économique de la Tchéquie remarque que « les salaires augmentent trop vite en raison d'un taux de chômage extrêmement bas » (rapporté dans la revue Futuribles, n°214, novembre 1996).

Robert Redeker

Philosophe (agrégé de l'Université), chroniqueur et critique littéraire, Robert Redeker est membre du comité de rédaction de la revue *Les Temps modernes* fondée par Jean-Paul Sartre et Simone de Beauvoir, aujourd'hui dirigée par Claude Lanzmann. Il est également collaborateur permanent de *Bücher/Livres*, le supplément littéraire du quotidien du Luxembourg, le *Tageblatt*. Il collabore régulièrement aux publications suivantes : *L'Arche, Commentaire, Les Cahiers rationalistes, Le Croquant, La Voix du regard, Le Monde diplomatique, Singulier/Pluriel, Le Banquet, L'Homme et la société, PTAH : Psychanalyse-Traverses-Anthropologie-Histoire, Les Cahiers d'Europe et Raison Présente*.

Dernier ouvrage paru :

La Parité ou la revanche de Joseph de Maistre,
in *Le Piège de la parité* (collectif, sous la direction de Micheline Amar, avec E. Badinter, R. Badinter, L. Kandel, E. Roudinesco, G. Vedel et al.), Hachette Littératures, 1999.

A paraître en 2000 :

Du pouvoir à la violence : la politique et son éclipse
in : *Philosopher* (sous la direction de C. Delacampagne et R. Maggiori), Fayard
et
Questions de philosophie, Editions Itinéraires.

La collection Cétacé se propose d'être un outil d'invention de la démocratie et de la liberté en direction de tous les citoyens.

Dans la même collection :

Le jeune poulpe contre la vieille taupe
Didier Daeninckx
Éditions BÉRÉNICE, 1997, 25 F

Au nom de la loi
Didier Daeninckx et Valère Staraselski
Éditions BÉRÉNICE & Paroles d'aube, 1998, 35 F

Un apartheid à la française
SOS Racisme
Éditions BÉRÉNICE & Paroles d'aube, 1998, 35 F

Déjà paru aux Éditions BÉRÉNICE

Jean-Michel PLATIER
• Le poids des silences
Poésie

Francis VLADIMIR
• Les Crépusculaires
Poésie

William RADET
• Un flou dangereux
Roman

Roland PASSEVANT
• L'increvable espérance
L'Autre Collection

COLLECTIF
• L'air du temps
Nouvelles

Valère STARASELSKI
• Aragon, l'invention contre l'utopie
Essai

Marie-Ella STELLFELD
• Le triangle d'argile
Polar

Gilles MOURIER
• Ombres portées
Roman

Franck LAROZE
• Huntsville, la honte du monde
Poésie

Thierry RENARD
• L'injustice commence là
Poésie

COLLECTIF
• El Djezaïr
Nouvelles

Chantal PORTILLO
• La femmepluie
Roman

Bénédicte des MAZERY
• Pour solde de tout compte
Roman

Francis VLADIMIR
• La maison Mancini
Roman

Jean-Michel PLATIER & Angelo CEROTTI
• L'avenir immédiat/Alarme blanche, roman !
Poésie/Roman

Collection Tatou

Gilles MAZUIR
• Toutes blessent, la dernière tue
Nouvelles

Arnaud de MONTJOYE
• Je vous salis ma rue et autres rumeurs
Nouvelles

Mustafa HAMLAT
• Hors-je
Poésie

Collection ad hoc
(bandes dessinées)

MAKO / DAENINCKX
• La page cornée

à paraître

COLLECTIF

• **Aspirine ! Mots de tête**

Nouvelles

en coédition avec les Éditions

La passe du vent

Collection Tatou

Christian VALLÉRY

• **L'ordre des choses**

par 
Achevé d'imprimer
en septembre 2002
IMPRIMERIE LIENHART
à Aubenas d'Ardèche

Dépôt légal septembre 2002

N° d'imprimeur : 4969

Printed in France